Fridita

Frida-des-coyotes

Frida-cherche-moi

Frida-à-maman

Frida-à-papa

Frida-bonbons

Frida-qui-a-des-ailes

Frida-ça-va-par

Frida-qui-pleure

Frida-l'invincible

Frida-multicolore

Frida-la-fée-des-glaces

Frida-à-Diego

Frida-piñata

Frida-papillon

Frida Kahlo

Conception graphique : Ann-Sophie Caouette

Révision et correction : Romy Snauwaert

ISBN : 978-2-924720-03-5

Dépôt légal - Bibliothèque et Archives nationales du Québec, 2016

Dépôt légal - Bibliothèque et Archives Canada, 2016

Imprimé au Canada

Frida, c'est moi

À maman et à Kim

Sophie Faucher

À mon Tito et à ma Tita

Cara Carmina

Hola!

C'est moi, Frida.

Tu as ouvert mon livre, je suis vraiment contente.

Nous allons pouvoir faire connaissance.

Je vais te raconter mon histoire.

J'habite au Mexique. À Coyoacán. Dans la langue
de mes ancêtres, les Aztèques, cela veut dire:
Celui qui possède des coyotes. Alors moi,

je suis Frida-
de-Coyoacán-des-coyotes!

Ma maison est toute bleue, c'est la Casa azul.
Il y a aussi un grand jardin rempli d'oiseaux et de cachettes.

Je suis Frida-cherche-moi.

Maman, c'est la chef, elle s'occupe de tout.
Mes trois sœurs s'appellent Matilde, Adriana
et la plus petite, Cristina. C'est ma préférée.
Elle est belle, elle est comme ma poupée.

Je suis Frida-n° 3.

Papa, c'est mon idole, il s'appelle Guillermo.

Il est beau, il est gentil. Il a de grands yeux clairs qui voient tout.

Il fait de la photographie et de l'épilepsie.

Papa travaille dans une chambre noire, il fait apparaître

des photos dans l'eau. C'est magique! Elles sont en noir et blanc.

Papa m'a montré comment les colorer.

Il dit que je suis sa meilleure assistante.

Je suis Frida-à-papa!

Le jour de la Fête des morts, nous allons tous au cimetière pour célébrer mon grand-père et ma grand-mère. On apporte les plats qu'ils aimaient et, toute la nuit, on mange, on rit, on chante en pensant à eux. Il y a des bougies partout, des fleurs, de la musique et aussi des pyramides de friandises.

Je suis Frida-bonbons.

Mon ami Tonito a une tête de tatou.
As-tu remarqué que les gens ont parfois
des têtes d'animaux ? Il y en a qui
ressemblent à des singes, d'autres à
des toucans et d'autres à des iguanes.
Moi, j'aimerais être un aigle.
J'habiterais au sommet des montagnes
et je volerais très haut.

Je suis Frida-qui-a-des-ailes.

Aujourd'hui, cette espèce de *loquito* de Tonito a fait
tomber une bûche sur mon pied. AÏE !!!
J'ai hurlé comme un mariachi un soir de pleine lune.
Le médecin est venu à la maison et maman n'a jamais
été aussi gentille avec moi. Ça, c'est la bonne nouvelle.
La mauvaise, c'est que le docteur a dit que j'avais une
vilaine maladie qui a un drôle de nom : la poliomyélite.
Et je n'irai plus à l'école tant que je ne serai pas guérie.

Je suis Frida-ça-va-pas.

Ma jambe est devenue toute maigre, mon pied est de travers et je boite. Mais ce qui me fait le plus de peine, ce sont mes amis à l'école : ils m'appellent Jambe-de-bois ou Patte-de-poulet. Ça me fait des coups de couteau dans le cœur.

Je suis Frida-qui-pleure.

C'est vrai que je boite un peu, mais c'est quand même moi qui roule le plus vite à vélo, qui grimpe aux arbres mieux que tous les garçons et qui suis la championne au ballon.

Je suis Frida-l'invincible.

Tous les samedis, avec maman, je vais au marché. C'est la fête des couleurs! Rouge de la tomate, de la pastèque, de la grenade. Vert de la lime, du piment. Jaune du citron, du maïs, du tournesol.

Je suis Frida-multicolore.

Avec mon amie imaginaire, j'ai préparé mon super sorbet à la lime. Dans une casserole, je fais chauffer une tasse d'eau et une tasse de sucre pendant 3 minutes. Je laisse refroidir mon sirop et j'y mets une tasse de jus de lime. Je bats 2 blancs d'œufs en neige que j'ajoute à la préparation et je mets mon plat au congélateur. Quand le sorbet est gelé, je mélange une dernière fois à la fourchette. Encore un petit coup au congélateur et hop, c'est prêt.

Je suis Frida-la-fée-des-glaces.

Le plus grand peintre du Mexique, Diego Rivera, est venu à l'école. Il est grand, mais il est gros aussi. J'ai voulu lui jouer un tour. J'ai mis du savon sur le plancher pour qu'il glisse. Je voulais voir un éléphant patiner. Mais Diego est si lourd qu'il n'est même pas tombé. Il s'est mis au travail. Je l'ai regardé peindre pendant des heures. J'étais éblouie.

Je suis Frida-à-Diego.

C'est difficile pour moi de parler de l'accident. Ce jour-là, j'étais dans un autobus quand soudain, « crash boum », un tramway nous est rentré dedans. Tout le monde criait, sauf moi. On m'a emmenée à l'hôpital. J'étais comme une piñata à la fin du jeu, brisée en mille morceaux.

Je suis Frida-piñata.

J'ai mal et je m'ennuie. Cela fait trois mois que je ne peux plus bouger. Pour me faire plaisir, on m'a construit un lit de princesse. Maman a installé un miroir au-dessus de moi pour que je sois moins seule. Drôle d'idée! C'est toujours moi que je vois, moi couchée... qui voudrais tant m'envoler.

Je suis Frida-papillon.

Papa m'a donné ses tubes
de couleurs que j'aime tant.
J'ai tracé une ligne,
j'ai fait un croquis,
puis un dessin,
une fleur,
un fruit,
ma sœur, et mon visage...
avec un sourire.

Je suis Frida-qui-peint. Je suis Frida Kahlo.

Fridita

Frida-des-coyotes

Frida-cherche-moi

Frida-à-maman

Frida-à-papa

Frida-bonbons

Frida-qui-a-des-ailes

Frida-ça-va-pas

Frida-qui-pleure

Frida-l'invincible

Frida-multicolore

Frida-la-fée-des-glaces

Frida-à-Diego

Frida-piñata

Frida-papillon

Frida Kahlo